Quito

Editorial Everest le agradece la confianza depositada en nosotros al adquirir este libro, elaborado por un amplio y completo equipo de publicaciones formado por fotógrafos, ilustradores y autores especializados en turismo, junto a nuestro moderno departamento de cartografía.
Everest le garantiza la total actualización de los datos contenidos en la presente obra hasta el momento de su publicación, y le invita a comunicarnos toda información que ayude a la mejora de nuestras guías, porque nuestro objetivo es ofrecerle siempre un TURISMO CON CALIDAD.

Editorial Everest would like to thank you for purchasing this book. It has been created by an extensive and complete publishing team made up of photographers, illustrators and authors specialized in the field of tourism, together with our modern cartography department. Everest guarantees that the contents of this work were completely up to date at the time of going to press, and we would like to invite you to send us any information that helps us to improve our publications, so that we may always offer QUALITY TOURISM.

Puede enviarnos sus comentarios a:
Editorial Everest. Dpto. de Turismo
Apartado 339 – 24080 León (España)
e-mail: turismo@everest.es

Please send your comments to:
Editorial Everest. Dpto. de Turismo
Apartado 339 – 24080 León (Spain)
Or e-mail them to us at turismo@everest.es

Dirección editorial / *Editorial management:* Raquel López Varela

Coordinación editorial / *Editorial coordination:* Eva María Fernández

Maquetación: Gerardo Rodera

Texto / *Text:* Paco Sánchez Ruiz

Traducción / *Translated by:* Babyl Traducciones

Fotografías / *Photographs:* Paco Sánchez Ruiz y Edgar de Puy

Agradecimientos / *Acknowledgements:* Paola Escobar (Quito Turismo)

Diagramación / *Diagrams:* Gerardo Rodera

Diseño de cubierta / *Cover design:* Alfredo Anievas

Tratamiento digital de imagen / *Digital image processing:* David Aller, Ángel Rodríguez

© EDITORIAL EVEREST, S. A.
Carretera León-La Coruña, km 5 – LEÓN
ISBN: 84-241-0550-8
Depósito legal / Legal deposit: LE. 53 - 2006
Printed in Spain – Impreso en España

EDITORIAL EVERGRÁFICAS, S. L.
Carretera León - La Coruña, km 5
LEÓN (España / Spain)

www.everest.es
Atención al cliente: 902 123 400

Vista aérea de Quito colonial «Patrimonial».

Aerial view of Quito's old quarter.

QUITO, UNA JOYA COLONIAL EN EL CENTRO DEL MUNDO

Quito, capital de uno de los países más diversos

Quito es la capital de Ecuador y el mejor lugar desde donde descubrir un fascinante país en el centro del mundo. En una extensión que supone la mitad de España (276.840 km²), se dan cita innumerables ecosistemas y paisajes tan fascinantes como la Amazonía, los Andes o las islas Galápagos, donde Darwin escribiría su famosa Teoría de la Evolución. Un país excepcional con bellas localidades como Cuenca, Guayaquil y Quito, un verdadero museo vivo donde el visitante puede rememorar cómo eran esas ciudades que los conquistadores españoles construyeron en América, cuyos palacios, iglesias, conventos y amplias plazas dominan el casco antiguo, declarado en 1978 Patrimonio de la Humanidad. La ciudad moderna se extiende y crece, escalando incluso los cerros y los aletargados volcanes periféricos.

QUITO, A COLONIAL JEWEL SET AT THE CENTER OF THE WORLD

Quito, the capital of one the most diverse countries

Quito is the capital of Ecuador and the best place to start discovering a fascinating country that straddles the center of the world. An area measuring nearly half that of Spain (276,840 km²) encompasses innumerable ecosystems and such fascinating landscapes as the Amazon, the Andes, and the Galapagos, where Darwin wrote his famous Theory on Evolution. An exceptional country with such beautiful places like Cuenca, Guayaquil and Quito, a veritable living museum where visitors can recall the cities built by the Spanish conquistadors in America, with their palaces, churches, convents and wide plazas predominate in the old quarter, declared a World Heritage Site in 1978. The modern city has grown and extended outward, even climbing up the hillsides and the nearby dormant volcanoes.

Volcán Cotopaxi (provincia del Cotopaxi).
Su primera erupción fue en 1737.

The Cotopaxi volcano (in Cotopaxi province).
Its first eruption took place in 1737.

Espadaña del Monasterio de las Concepcionistas (Cuenca).   *Bulrush of the Monastery of the Conceptionists (Cuenca).*

Galápago (isla de Santa Cruz).

Malecón 2000 de Guayaquil.

Galapagos (island of Santa Cruz).

Seafront Malecon 2000 of Guayaquil.

Tocado Inca.   Incan headdress.   Casco de soldado español.   A Spanish soldier's helmet.

En la página de al lado, grabado en el Museo de la Ciudad de Quito.
On the opposite page, an engraving in the Quito City Museum.

Es la Ciudad Nueva, vital y de servicios, con casi un millón y medio de habitantes, la segunda en importancia después de la costera Guayaquil. Desde Quito se puede visitar la escasamente conocida República del Ecuador. Los **Andes,** la cordillera más elevada del planeta después del Himalaya, es el entorno más inmediato de Quito. Lo demuestran esos volcanes dormidos cercanos como el **Guagua-Pichincha,** y esas cumbres de nieves perpetuas que se divisan desde la misma ciudad: el vecino **Cotopaxi,** eternamente nevado en sus cumbres. La Sierra marca el carácter andino de Quito y atraviesa el país de norte a sur, separando el Pacífico del Amazonas por tres altas cordilleras y sus correspondientes valles. La colisión que se da entre las dos grandes placas tectónicas en esta zona del planeta hace que los movimientos sísmicos sean corrientes en Quito, aunque afortunadamente el legado colonial ha superado los embates de las fuerzas de la naturaleza.

This is the Ciudad Nueva or New City, dynamic and functional, with nearly one and a half million inhabitants, the second largest after the coastal Guayaquil.
From Quito one can visit the little-known Republic of Ecuador. The **Andes,** the highest mountain range on Earth after the Himalayas, make up the immediate surroundings of Quito. Here there are dormant volcanoes such as **Guagua-Pichincha,** and the snow-capped peaks seen from the city itself: the nearby **Cotopaxi** with its eternal snows resting on its summit. The mountains mark the Andean character of Quito and they traverse the country from the north to the south, thus separating the Pacific from the Amazon with three steep mountain ranges with their corresponding valleys. The collisions between the two great tectonic plates in this area of the world quite often send seismic movements to Quito, whose colonial legacy has fortunately been able to withstand the onslaught of the nature's forces.

Otro ecosistema totalmente diferente es la **Amazonía,** que se interna en el Ecuador con su espesa capa de selva, hábitat que protege una fauna, una flora y culturas indígenas de ese fenómeno imparable que es la globalización. Precisamente desde Quito partieron los descubridores del Amazonas.

Quito también es puerta de entrada a un tercer espacio natural único, el Ecuador insular, que está relativamente próximo (a unos 950 km del continente). Allá emerge el archipiélago de Colón, las islas Encantadas más conocidas como **Galápagos,** un paraíso volcánico con animales de tiempos remotos como las enormes tortugas o galápagos que pueden llegar a alcanzar los 700 kg.

Quito es el punto de partida idóneo para descubrir este país de contrastados ambientes urbanos y gentes. Por ejemplo, en el sur se encuentra **Cuenca,** conocida como la *Atenas andina,* una ciudad de densa riqueza artística, con dos catedrales. No muy lejana, ya en la costa pacífica, se halla la principal ciudad del país: **Guayaquil,** que representa otro submundo ecuatoriano diferente a la sierra, la costa; la dinámica ciudad del Pacífico es una urbe moderna que conserva bellos rincones coloniales, su magnífico malecón y excelentes playas.

A estos exclusivos lugares se puede llegar desde el **aeropuerto Mariscal Sucre** de Quito en poco tiempo.

Otro de los tantos atractivos de este pequeño país sudamericano son sus habitantes: en pocos puntos del planeta encontraremos gentes con tanta cortesía, humildad y hospitalidad.

Son muy vistosos los diversos mercados artesanales del país como el de **Otavalo,** al norte de Quito.

Un encuentro con el colorido indígena de quechuas (descendientes de los incas), chibchas y mestizos. En este fascinante mundo se pueden adquirir, por módico precio, artesanías singulares muy diversas: cerámica, tejidos, tapices, flautas, tallas en maderas preciosas, plumas, collares o sombreros de jipijapa.

Ecuador: viejo reino, luz de América

Ecuador, el centro del continente, fue tierra de asentamiento de diversos pueblos: araucanos, chibchas, mayas-quibchés, aymaraes, quechuas… Al norte, habitado incialmente por

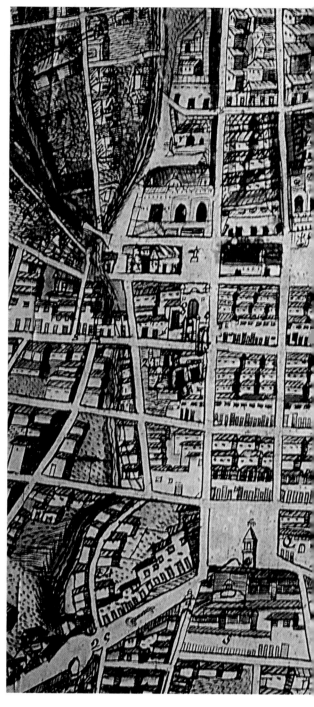

Antiguo plano de la ciudad en el Museo de la Ciudad.
An old city map in the City Museum.

Another completely different ecosystem is the **Amazon,** *which extends into Ecuador with its dense blanket of forest, a habitat that protects the fauna, flora and indigenous cultures from this unstoppable phenomenon called globalization. In fact, the discoverers of the Amazon set off from Quito itself.*

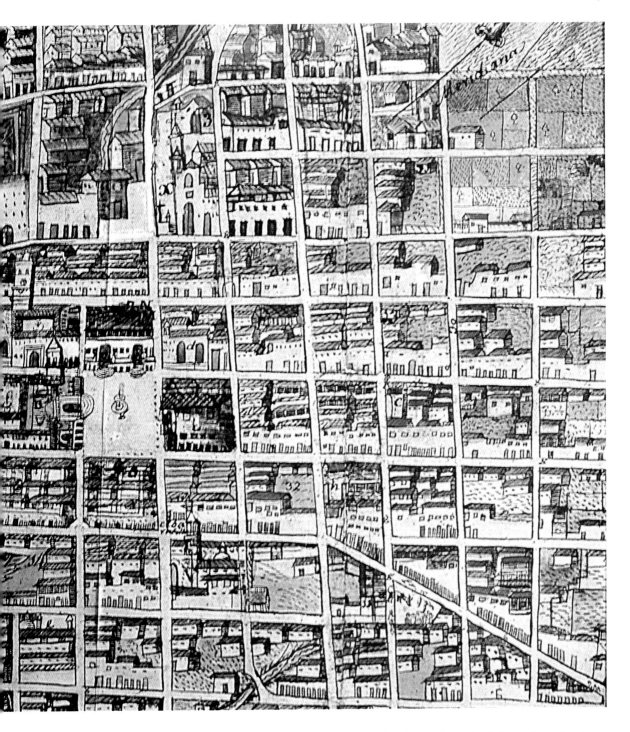

Quito is also a gateway to a third unique natural area, the islands of Ecuador, which lies relatively close by (at nearly 950 km from the continent). There rises the Columbus archipelago, the enchanted islands better known as the **Galapagos,** *a volcanic paradise with animals from distant times like the giant Galapagos turtle which can weigh up to 700 kg. Quito is the ideal starting point to discover a country of contrasting urban centers and people. For example, to the south is the city of* **Cuenca,** *known as the Athens of the Andes, due to its great artistic wealth and its two cathedrals. Not far away, now on the Pacific Coast, is the country's principal city:* **Guayaquil,** *which represents a different Ecuadorian subculture from the mountains: the coast. The dynamic city of the Pacific is both modern and urban, conserving lovely colonial niches, a magnificent seafront and excellent beaches.*

Información turística en Quito.
Tourist Information in Quito.

los *quitus* (de aquí el origen del topónimo), se localizaba el reino de Quito, que en el siglo XVI ya fue conquistado por los incas. Desde Panamá partieron los españoles dirigidos por Pizarro, y Sebastián de Belalcázar conquistó esta parte norte del imperio incaico. Rumiñahui, emparentado con Atahualpa, incendió la ciudad antes de ser derrotado por los españoles; sobre sus restos se fundó en 1534 San Francisco de Quito. Fue desde aquí donde se harían las incursiones y exploraciones hacia otros territorios próximos, como fue la de Orellana hacia el Amazonas en 1542. Quito fue gobernación del Virreinato del Perú con autonomía interna desde 1563 hasta 1740, fecha en la que fue incorporado al Virreinato de Nueva Granada. En Quito se dieron las primeras veleidades de independencia respecto a la Corona Española, de ahí que se la conozca como *Luz de América*, y ya en 1809 Juan Pío Montúfar constituyó una junta de gobierno autónoma. En 1822 el general Sucre, en la batalla de Pichincha, derrotó a las tropas realistas españolas. Este territorio se englobaba en la Gran Colombia concebida por Simón Bolívar, y que se desintegraría a la muerte del Libertador. En 1839 aparece el nombre de la República de Ecuador, y Quito sólo se aplicaría a la gloriosa capital. El padre de la República Juan J. Flores sólo dejó un futuro de continuos cambios de gobierno y un conflicto territorial con Perú que significaría, tras los acuerdos de Río de Janeiro, el redibujamiento de las fronteras y la pérdida de buena parte de su territorio (unos 175.000 km²). Quito hoy es una ciudad administrativa y activo polo económico del país, una ciudad que se extiende infinitamente por el

These exceptional places can be quickly reached from the **Mariscal Sucre Airport** in Quito. Another of the many attractions of this small South American country is its people: in few places on Earth can we find people with such courtesy, humility and hospitality. The many crafts markets throughout the country are both bright and colorful, like the one of **Otavalo** in the north of Quito. Among the local color are Quechua (descendants of the Incas), the Chibcha and mestizos. In this fascinating world one can acquire, at modest prices, a wide range of unique crafts: ceramic, fabric, tapestries, flutes, precious wood carvings, feathers, necklaces or jipijapa hats.

Ecuador: an ancient kingdom, the birth of America

Ecuador, at the center of the continent, was home to various peoples: Araucanos, Chibchas, Maya-Quibchés, Aymaraes, Quechuas..., the north, initially inhabited by the Quitus (hence the origin of the name), was the site of the Kingdom of Quito, which in the 16th century had already been conquered by the Incas. The Spanish, led by Pizarro and Sebastian de Belalcázar, left from Panama and conquered this northern part of the Incan empire. Rumiñahui, a relative of Atahualpa, burnt the city to the ground before being defeated by the Spanish; on its remains San Francisco de Quito was founded in 1534. From here began various incursions and explorations into other territories, such as the one led by Orellana into the Amazon in 1542. Quito was governed under internal autonomy within the Viceroyalty of Peru from 1563 to 1740, the date when it was incorporated into the Viceroyalty of New Granada. In Quito, the first murmurs of independence from the Spanish Crown were heard, which gave rise to the name Birth of America, and as early as 1809 Juan Pío Montúfar formed an independent government. In1822. General Sucre defeated the Spanish Royalist troops in the Battle of Pichincha. The territory was included in the Grand Colombia envisaged by Simón Bolívar, which disintegrated shortly after the death of the Liberator. 1839 saw the rise of the Republic of Ecuador and only Quito was truly fit to be its glorious capital. The father of the Republic, Juan J. Flores, left a legacy of incessant turmoil in the government

árido altiplano andino. El hecho de ser la capital supone también que sea un reflejo de los problemas que afectan al país, tales como la corrupción, la dolarización de la economía y frecuentes conflictos sociales derivados de la pobreza y que fuerzan a muchos ecuatorianos a la emigración preferencial hacia España. Al margen de la situación socioeconómica, Quito, su casco antiguo, es un espacio urbano mimado y cuidado, cuyas plazas y monumentos resplandecen en los nítidos días propios de esta zona del planeta.

Tocando el cielo

Quito se desarrolla en un alto valle rodeado de los majestuosos Andes. Una urbe alargada entre volcanes con una longitud de unos 17 km de largo por poco menos de 4 km de ancho. Al norte de Quito, cerca de donde se encuentra el aeropuerto, se halla lo que se conoce como Ciudad Nueva, un área impersonal de altos edificios, transitadas avenidas y amplias zonas verdes y recreativas. Es la zona de servicios, negocios, bancos y centros comerciales. La mayoría de hoteles y restaurantes están en la zona del Mariscal Sucre, popularmente conocida como la *Mariscal o Gringolandia*. La ciudad se estrecha, escalando colinas y salvando quebradas en lo que sería el Quito antiguo, un espacio donde se abren grandes plazas monumentales tales como la de San Francisco (origen de la ciudad), Santo Domingo o la Plaza Grande, a la que asoman los símbolos de los poderes del país como la Catedral y el Palacio Presidencial. Es la parte más turística, casi un museo vivo con palacetes e infinidad de iglesias, conventos, etc., rodeados de casas bajas con cubiertas de teja. Delimitan el casco antiguo dos excelentes miradores: la monumental Basílica y el Panecillo, con la característica Virgen alada de Quito. Más al sur la ciudad sigue creciendo en los barrios populares de la clase trabajadora. Quito tiene la peculiaridad geográfica de encontrarse a 22 km de la línea imaginaria que divide al mundo: el Ecuador, conocido aquí también como la **Mitad del Mundo.** Por otro lado es una de las capitales del planeta construida a mayor altura (unos 2.850 m sobre el nivel del mar). Debido a esa altitud y a la abundancia de templos (56 iglesias y conventos), se dice que desde Quito, la *carita de Dios,* se puede alcanzar el cielo.

Danza típica de Ecuador.
A typical Ecuadorian dance.

and a territorial conflict with Peru which would result, after the agreements of Rio de Janeiro, in the redrawing of borders and the loss of a good part of the country's territory (about 175,000 km^2). Quito, today extending infinitely outward on the arid Andean altiplano, is an administrative city and an active economic hub of the country. The fact of being a capital also infers its reflection of the problems affecting the country, such as corruption, the dollarization of the economy and the frequent social conflict derived from the poverty forcing many Ecuadorians to emigrate to Spain. Set apart from the socioeconomic situation, the old quarter of Quito is a nurtured and maintained urban space, with plazas and monuments that shine in the crystal clear days, typical of this part of the world.

En la página siguiente, plaza y convento máximo de San Francisco, levantado en 1553 en el lugar donde se hallaba el cuartel general de Huayna Capac.

The following page shows the square and main convent of San Francisco, erected in 1553 on the site which had been the general headquarters of Huayna Capac.

El «Centro del Mundo».　　　　　　　　　　　　　　　*The «Center of the World».*

Touching the sky

*Quito sits atop a high valley surrounded by the majestic Andes Mountains. Bordered by volcanoes, it is an elongated city measuring about 17 km long by a little less than 4 km wide. The region to the north of Quito near the airport is known as the Ciudad Nueva or New City, an impersonal district of high-rise buildings, busy avenues, broad parks and recreational areas. This area has services, businesses, banks, and malls. The majority of hotels and restaurants are located in the area of Mariscal Sucre, popularly known as la mariscal or gringolandia. The city gets narrower, climbs up hills and crosses over gullies into what would be the old quarter, an area which opens up onto grand monumental plazas such as San Francisco (the origin of the city), Santo Domingo, or the Plaza Grande, heralded by the country's symbols of power, the Cathedral and the Presidential Palace. This quarter is the tourist area, nearly a living museum with small palaces and an infinite number of churches, convents, etc., surrounded by low clay-roofed houses. The old quarter is overlooked by two excellent viewpoints: the monumental Basilica and the Panecillo, with its characteristic winged virgin of Quito. To the south of the city lie the ever-growing working class neighborhoods. Quito has the geographic peculiarity of being located about 22 km from the imaginary line that divides the earth: the Equator, also known here as the **Mitad del Mundo** or **Center of the World.** On the other hand, it is one of the world's loftiest capital cities (at about 2,850 m above sea level). Due to this altitude and the abundance of temples (56 churches and convents), it is said that from Quito, the carita de Dios, or face of God, one can reach heaven.*

San Francisco, el legado renacentista traído de Europa

San Francisco es el origen de la ciudad colonial y es en esa amplia plaza y monasterio donde se puede iniciar un circuito turístico por la urbe. Los colonizadores españoles trajeron la religión y el arte de la época: el Renacimiento, que tuvo aquí su escuela. La Escuela Quiteña desarrollaría el arte renacentista europeo en su versión criolla desde el siglo XVI al XVIII, rescatando influencias del mozárabe, el mudéjar, el plateresco, el barroco y el rococó para construir exteriores y ricos interiores de iglesias, conventos, refectorios y salas capitulares. San Francisco es un ejemplo y constituye uno de los conjuntos religiosos más antiguos y grandes de Iberoamérica, compuesto de iglesia principal, convento con siete patios y dos capillas: la de San Buenaventura y la de **Cantuña.**

· · · · · · · · · · · · · · · · · · ·

San Francisco, the Renaissance legacy brought from Europe

San Francisco *is the origin of the colonial city and it is from this extensive plaza and monastery that the tourist can trace a route through town. The Spanish colonizers brought religion and the art of the time: the Renaissance, which had its own school here. The Escuela Quiteña or Quito School developed European Renaissance Art into its Creole version from the 16th to the 18th century, drawing from such influences as Mozarabic, Mudejar, Plateresque, Baroque, and Rococo to build the rich exteriors and interiors of the churches, convents, refectories and chapterhouses. San Francisco is a fine example as it consists of one of the oldest and largest religious complexes in Latin America; it is composed of a main church, a convent with seven patios and two chapels: San Buenaventura and the* **Cantuña.**

*Convento máximo de San Francisco. Interior,
con un aspecto del Museo Pedro Gocial.
Abajo, el claustro.*

*The main convent of San Francisco.
Interior, and a view of the Pedro Gocial Museum.
Below, the cloister.*

Turismo por el casco antiguo.
Tourist in the old quarter.

Quizá bajo la iglesia estaba la edificación principal del cacique inca Huayna Cápac, aunque nada se conserva de esta cultura precolombina. La iglesia, con sus características torres campanario, se alza sobre una gran plaza adoquinada con una monumental pila o fuente de piedra. En un lateral se levanta la estatua del franciscano Jodoco Ricke, misionero fundador de la iglesia, uno de los primeros edificios que además da nombre a Quito, San Francisco de Quito. El apabullante arte del interior del templo muestra pinturas de Miguel de Santiago y un notable altar mayor barroco con la escultura original de la Virgen de Quito, cuya réplica aumentada se alza sobre la loma del Panecillo. A un lado de la iglesia se abre el monasterio y el elegante **claustro** principal, donde también asoma el interesante **museo de arte religioso Padre Pedro Gocial.**
En las estrechas calles circundantes, enmarcadas por el volcán Pichincha, se celebra el **mercado de Ipiales,** con el consabido colorido de sus vendedoras, que ofrecen todo tipo de productos agrícolas. Desde San Francisco parte la concurrida **calle Sucre,** llena de carruajes que pasean al turista por la ciudad, con sus puestos de flores y excelentes zumerías. Entre sus notables edificios resalta la severa sede del **Banco Central** donde visitar el **Museo Numismático,** un didáctico recorrido por la historia de la moneda, que acaba con la

Antigua sede del Banco Central, hoy Museo.
Former headquarters of the Banco Central,
today a museum.

Perhaps deep below the church lie the principal buildings of the Incan chieftain Huayna Cápac, although nothing remains from this Pre-Columbian culture. The church, with its characteristic bell towers, rises over a grand plaza adorned with a monumental pila or stone fountain. To one side sits the statue of the Fransciscan Joedco Ricke, the founding missionary of the church, one of the city's first buildings and the man who lent his name to Quito, San Francisco de Quito. The extraordinary art inside the temple includes paintings from Miguel de Santiago and the remarkable main altar, in Baroque style with the original sculpture of the Virgin of Quito, whose enlarged replica rises on the flanks of the Panecillo. One side of the church opens onto the monastery and the elegant main **cloister,** *which also houses the interesting* **Padre Pedro Gocial religious art museum.**

Museo de María Augusta Urrutia.

The María Augusta Urrutia Museum.

adopción del dólar como moneda nacional en sustitución del viejo *sucre*. Contigua, una espléndida casa que es **Museo de María Augusta Urrutia** muestra cómo vivían las familias acaudaladas en el siglo XIX; y la **Casa- Museo de Sucre,** coqueta casa colonial del siglo XVII residencia del que fue prócer de la independencia de Ecuador, mariscal Antonio José de Sucre. La calle Sucre desemboca en la avenida Guayaquil, que limita el sur del casco viejo, la vía más común para acceder al casco antiguo transitada por los típicos trolebuses.

Casa-Museo de Sucre.   *The Sucre House-Museum.*

The narrow surrounding streets, marked by the Pichincha volcano, are home the Ipiales Market, with the typical color of its vendors who offer all kinds of farm fresh products. San Francisco is the starting point of the busy **Calle Sucre,** *full of carriages that take tourists through the city, flower merchants and excellent juice stands. Among the street's more remarkable buildings is the stark headquarters of the* **Banco Central** *where one can visit the* **Numismatic Museum,** *an educational tour through the history of the coinage, which ends with the adoption of the dollar as the national currency, substituting the old sucre. Next door is a splendid house, the* **María Augusta Urrutia Museum,** *which shows how the wealthy families lived during the 19th century; the* **Sucre House-Museum** *is a showy colonial house from the 17th century, the residence of whom would precede the independence of Ecuador: Mariscal Antonio José de Sucre. The Calle Sucre empties out onto the Avenida Guayaquil, which borders the old quarter to the south. It is the best way to access the old quarter, as it is transited by the local trolleybuses.*

*Plaza de Santo Domingo (s. XVI),
con la estatua del mariscal Sucre.*

*The plaza Santo Domingo (16th century),
with its statue of Marshal Sucre.*

Santo Domingo, prototipo de iglesia colonial

Santo Domingo es con su plaza otro de los escenarios coloniales más auténticos de Quito, amplio espacio urbano presidido por la **estatua del mariscal Sucre,** omnipresente en la vida de la ciudad. Enmarcan la plaza el Panecillo y la enorme estatua de la Virgen de Quito que parece proteger al padre del Ecuador. La plaza es un escenario donde se dan cita gentes de lo más diverso: vendedores ambulantes, artistas callejeros, payasos, malabaristas… y en los portales laterales, los tradicionales limpiabotas.

● ● ● ● ● ● ● ● ● ● ● ● ● ● ● ● ● ●

Santo Domingo, prototype of the colonial church

Santo Domingo *is another of the more authentic colonial settings of Quito, with its plaza, a wide open urban space presided over by the* **Statue of Marshal Sucre,** *omnipresent in the life of the city. The plaza is framed by the Panecillo and the enormous statue of the Virgin of Quito which seems to protect the Father of Ecuador. The plaza is the setting for bringing together a great diversity of people: peddlers, street artists, clowns, jugglers..., and on the side arcades, the traditional shoeshine boys.*

Tres aspectos de la iglesia de Santo Domingo. El claustro, el artesonado y el altar.

Three views of the Santo Domingo Church. The cloister, coffered ceiling and altar.

*Santo Domingo. Altar (arriba)
y el Arco de Santo Domingo (abajo).*

Santo Domingo. Altar (top) and the Arch
of Santo Domingo (bottom).

Arriba, calle Rocafuerte.
Abajo, Templo y monasterio
del Carmen Antiguo, fundado en 1647.
En primer plano el Arco de la Reina (1726).

Above, Calle Rocafuerte.
Below, the temple and monastery of Carmen Antiguo,
founded in 1647. In the foreground is the Arco de la
Reina (Queen's Arch) (1726).

The white church (1541-1650) has a slender bell tower and its facade resounds with the color of the stone on its sober Neo-classical facade, a prelude to its dark and moving interior. The ceilings in the Mudejar style are a highlight, along with its Baroque main chapel. Likewise one can contemplate a sculpture of the Virgin of the Rosary, a gift from the Emperor Charles I and visit the Museum of Religious Art. It is worth mentioning the large cloister, with gardens and a notable fountain in the center. Although not well-trodden by tourists, the streets surrounding the convent, such as the monumental **Arco de Santo Domingo,** have a rather characteristic colonial flavor: narrow and winding with bright colors and clay-roofed houses. To the south of the convent area is the boisterous **Cumandá Station** where the buses leave for such tourist

*En esta página, dos aspectos
del monasterio de Santa Clara.*

*On this page, there are two views
of the Santa Clara monastery.*

La blanca iglesia (1541-1650) presenta esbelta torre-campanario, y su fachada se altera con el color de la piedra de su sobria portada neoclásica, antesala del oscuro y sobrecogedor interior. Aquí destacan sus techos de estilo mudéjar, así como su capilla principal barroca. Igualmente se puede contemplar una escultura de la Virgen del Rosario, regalo del emperador Carlos I, y visitar su Museo de Arte Religioso. Cabe destacar el amplio **claustro,** ajardinado y centrado por una notable fuente. Aunque no muy concurridas por los turistas, las calles de alrededor del convento, como la del monumental **Arco de Santo Domingo,** tienen un sabor colonial muy característico: estrechas y con casas de teja y vivos colores. Hacia el sur del complejo conventual está la bulliciosa **estación de Cumandá** desde donde salen guaguas para lugares turísticos como Otavalo, los pies del Cotopaxi o, incluso, Cuenca o Guayaquil. En un lateral de la plaza asciende la calle Rocafuerte, donde asoman monumentos como el antiguo

Arriba, frontispicio de la iglesia del Hospital
(1726). Abajo, interior del mismo edificio,
con el retablo al fondo.

Above, the facade of the Hospital church
(1726). Below, the interior of the same building
with its altarpiece in the background.

hospital (hoy Museo de la Ciudad), la iglesia y monasterio del Carmen Alto, el monasterio de Santa Clara y, más arriba, la iglesia de San Roque, la capilla del Robo y el **monasterio de San Diego,** singular espacio colonial con Museo de Arte Religioso, antesala del cementerio de Quito del que se cuentan macabras leyendas. De todo este conjunto de espacios monumentales destaca el antiguo Hospital de San Juan de Dios (fundado en 1565 conservando bella portada y claustro), hoy habilitado como **Museo de la Ciudad** por su organización y exposición, uno de los más interesantes, pues revela de manera didáctica la historia y vida cotidiana de Quito (formas de vida, tradiciones, leyendas, *intimidades* de la ciudad) y, por ende, del Ecuador. Junto al antiguo hospital se localiza el monasterio de clausura del **Carmen Alto,** monasterio carmelitano que presenta una equilibrada arquitectura. En sus alrededores se venden innumerables hierbas naturales que tradicionalmente seleccionan las monjas y que curan todo tipo de males.

Monasterio de San Diego.　　　　　　　　　　　　　　　　The San Diego Monastery.

destinations such as Otavalo, the foothills of Cotopaxi or even Cuenca or Guayaquil. On one side of the plaza rises the Calle Rocafuerte, lined with such monuments as the former hospital (today the City Museum), the church and monastery of Carmen Alto, the Santa Clara monastery, and further uphill, the church of San Roque, the Robo Chapel and the **Monastery of San Diego,** a unique colonial space with a Religious Art Museum, a lead up to the cemetery of Quito, which has some macabre legends. Of all these monuments, the highlight is the former Hospital of San Juan de Dios (founded in 1565, conserving a lovely facade and cloister), today converted into the **City Museum** and through its organizations and expositions, it is one of the more interesting ones. It reveals, in an educative way, the history and everyday life of Quito (reviewing ways of life, traditions, legends, and secrets of the city) and consequently, of Ecuador. Located next to the former hospital is the cloister of **Carmen Alto,** a Carmelite monastery which displays a balanced architecture. Countless natural herbs that are traditionally selected by the nuns are sold nearby and are said to cure all types of illnesses.

Torre de la Catedral (arriba), calle de las 7 Cruces o García Moreno (arriba derecha) e iglesia de la Compañía (abajo derecha).

Cathedral tower (top), 7 Cruces or García Moreno street (top right) and the church of Compañía (below right).

La Plaza Grande, corazón del viejo Quito

La calle García Moreno es otra de las vías emblemáticas y monumentales de la ciudad colonial. Balconadas y bellas y equilibradas formas arquitectónicas adornan su trazado, al que asoma una de las más preciadas joyas arquitectónicas de la ciudad: la **Compañía,** con sus características cúpulas verdosas y envidiable portada, toda una lección del Barroco colonial. Se necesitaron más de 170 años para su construcción y unas 7 toneladas de oro para recubrir su interior: una agradable sorpresa con trabajadas capillas, techos con arabescos y destacado altar mayor cubiertos del preciado metal.

● ● ● ● ● ● ● ● ● ● ● ● ● ● ● ● ●

The Plaza Grande, the heart of Old Quito

*The Calle García Moreno is another of the more emblematic and monumental streets in the colonial city. Rows of balconies and beautifully balanced architectural forms adorn its length, to which one must mention a most precious jewel among the city's architecture: the **Compañía,** with its characteristic emerald cupolas and enviable facade, a complete lesson in the colonial Baroque. More than 170 years were needed for its construction and nearly 7 tons of gold to cover its interior: a pleasant surprise with its elaborate chapels, arabesque ceilings, and above all, the high alter swathed in precious metal.*

Altar principal de la iglesia de la Compañía, tallado en madera
de cedro, con columnas espiraladas, revestidas en pan de oro.

The main altar of the Compañía Church
carved from cedar with gilded spiral columns.

Iglesia de la Compañía. Artesonado mudéjar de la nave principal, con arcos torales
y detalles del artesonado bañados en pan de oro.

Companía Church. Moorish craftsmanship in the main nave
with toral arches and gilded crafted details.

Iglesia del Sagrario (arriba izquierda), patio del Centro Cultural Metropolitano, restaurado en 1997 (abajo izquierda). Sobre estas líneas, atrio principal de la Catedral Metropolitana, en la plaza de la Independencia.

The Sagrario Church (upper left), the patio of the Metropolitan Cultural Centre, restored in 1997 (lower left). Along these lines, the main atrium on the Metropolitan Cathedral, in the Plaza of Independence.

Contiguo se alza un equilibrado edificio del siglo XVII donde estuvo la Universidad de San Gregorio, el Cuartel de la Real Audiencia de Quito, el ayuntamiento o incluso la Casa de la Moneda. Hoy se habilitó como moderno **Centro Cultural Metropolitano** donde poder disfrutar de la sala permanente de Quito al Ecuador (Museo de Cera), el Museo de Pintura y Escultura colonial Alberto Mena Caamaño o el singular Museo para no Videntes. Junto a la Catedral se encuentra lo que fue su antigua capilla principal, hoy templo independiente: la **iglesia del Sagrario.** Muestra elegante fachada en piedra barroca con monumentales columnas salomónicas y parte superior cubierta por un pequeño laberinto de cúpulas. Su recogido y oscuro interior muestra pinturas y esculturas de la Escuela Quiteña.
El espacio más vital del casco viejo es la **Plaza Grande** o de la Independencia, como ilustra el monolito y figura central de este bello espacio monumental ajardinado donde se hallan representados los poderes del país y la ciudad: catedral, palacio del gobierno, ayuntamiento y palacio catedralicio.

· · · · · · · · · · · · · · · · ·

Next door rises a balanced building from the 17th century which once housed the University of San Gregorio, the Seat of the Royal Court of Quito, the town hall, and even the mint. Today it has been converted into the modern **Metropolitan Cultural Center** *where one can peruse the permanent exposition of Quito to Ecuador (a wax museum), the Alberto Mena Caamaño colonial painting and sculpture museum or a unique museum for the blind. Next to the Cathedral is a temple which was once its main chapel, but today is the independent* **Church of the Sagrario.** *It displays an elegant facade in Baroque stonework with monumental Solomonic columns and an upper half covered by a small labyrinth of cupolas. Its dark, peaceful interior displays paintings and sculpture from the Quito School. The most dynamic area in the old quarter is the* **Plaza Grande** *or Independence Square, illustrated by the central monolith in this beautifully landscaped square, a monument harboring the symbols of power in both country and city: the cathedral, presidential palace, city hall and cathedral palace.*

A la izquierda, interior de la Catedral.

En esta página, Palacio de Carondelet, sede del Gobierno Nacional. Su construcción se inició en 1612 y concluyó en 1747. A la derecha, un Granadero de Tarqui (guardia presidencial).

On the left, the interior of the Cathedral.

On this page, the Carondelet Palace, site of the National Government. Its construction began in 1612 and concluded in 1747. On the right, a Granadero de Tarqui (presidential guard).

Es el punto de cita de autóctonos y visitantes, lugar de manifestación política y sindical, de charlas y contemplación. La preside el **Palacio del Gobierno,** edificio neoclásico achatado, porticado y sobre pedestal. Aquí despacha el presidente de turno diversos asuntos, por lo que su puerta y patio no se pueden flanquear y está protegido simbólicamente por soldados vestidos a la vieja usanza. Desde la puerta se puede contemplar el bello mural que representa el descubrimiento del Amazonas por Francisco de Orellana.

Al sudeste de la plaza destaca el amplio cuerpo de la **Catedral** (1578), siempre recién acabada de blanquear, con actos litúrgicos y misas. Es también uno de los templos más antiguos de Iberoamérica.

Plaza Grande. A la izquierda, Monumento a la Independencia y gallito de la Catedral al fondo. Abajo, se ve en primer plano el antiguo Hotel Majestic (1930) y al fondo la Iglesia de la Concepción (1575).

Plaza Grande. On the left, the Monument to Independence and the weathervane of the Cathedral in the background. Below in the foreground is the former Hotel Majestic (1930) and the Church of the Conception (1575) in the background.

*It is the meeting point for locals and visitors, the site of political and syndicate demonstrations, a place to talk and reflect. The **Presidential Palace** presides over all, a flat Neo-Classical building with porticoes sitting atop a pedestal. Here the president of the day handles his various tasks, and so his gate and patio can not be outflanked, the palace is always symbolically protected by soldiers garbed in traditional uniforms. From the gate one can contemplate the beautiful mural depicting the discovery of the Amazon by Francisco de Orellana. Standing out on the southeast side of the plaza is the broad bulk of the **Cathedral** (1578), always having been recently whitewashed and ringing with its liturgical acts and masses. It is also one of the oldest temples in Latin America.*

Palacio Arzobispal.

The Archbishop's Palace.

El claustro del convento de San Agustín (1605).
Arriba, detalle del artesonado.

The cloister of the convent of San Agustín (1605).
Above are details of its craftsmanship.

El interior no sorprende tanto como otros
templos de la ciudad. Sus placas y la estatua del
que fue primer presidente del país nos recuerdan
la alianza de la Iglesia con el poder, si bien su
interior es refugio espiritual sobre todo de los
pobres y desvalidos de la sociedad. Destacan
pinturas y esculturas de la Escuela de Quito
decorando sus capillas, el altar mayor barroco y
las techumbres con arabescos. En sus
catacumbas descansan los restos del mariscal.
Contigua está la puerta al museo catedralicio
donde contemplar diversas obras religiosas.

• • • • • • • • • • • • • • • • • • •

The interior is not as surprising as other temples
in the city. The plaques and statue of the first
president of the country remind us of the alliance
between the church and state, although its
interior remains a spiritual refuge, especially for
the poor and downtrodden of society. Paintings
and sculptures from the Quito School
impressively decorate its chapels, the Baroque
high altar, and the Arabesque roof. Its catacombs
are the resting place for the marshal. The
entrance to the cathedral museum is next door,
where one can contemplate various religious
artworks.

Frente a la catedral se alza el **Palacio Arzobispal** porticado, con sencilla y blanca portada y excelentes patios. Uno de ellos se ha habilitado para acoger encantadores restaurantes. Muy cerca se atisba otro notable edificio blanco colonial rodeado de casonas señoriales: el **Convento de San Agustín,** en cuya sala capitular se suscribió, en 1809, la primera Acta de Independencia de la América Hispana. Su maciza torre-campanario da cobijo a uno de los claustros más bellos de Quito, con su excelente fuente central rodeada de grandes palmeras donde se instituiría la primera Universidad de la ciudad. El interior gótico contiene enormes pinturas y el museo Miguel de Santiago.

*Santa Catalina de Siena (a la izquierda)
y Teatro Bolívar (en esta página).*

*Santa Catalina de Siena (on the left)
and the Teatro Bolívar (on this page).*

Teatro Sucre (arriba) y La Merced (a la derecha).

The Teatro Sucre (top) and La Merced (on the right).

Rising across from the cathedral is the porticoed **Archbishop's Palace,** with a simple facade and exquisite patios. One of the patios has been installed with an enchanting restaurant. Nearby, one can make out another remarkable building dressed in colonial white and surrounded by noble mansions: the **Convent of San Agustín,** in whose chapterhouse was written the first Act of Independence of Spanish America, in 1809. Its solid bell tower shelters one of more beautiful cloisters in Quito, with a marvelous central fountain surrounded by large palm where the first university in the city was instituted. Its Gothic interior contains enormous paintings and the Miguel de Santiago Museum. Not far away is the colorful church of Santa Catalina de Siena and

Interior de La Merced (izquierda) y diferentes aspectos del Carmen Bajo (en esta página).
The interior of La Merced (left) and several views of Carmen Bajo (on this page).

*Santa Bárbara (a la izquierda), levantada
en 1535 sobre ruinas de un edificio
religioso indígena.
San Juan Evangelista (a la derecha),
monasterio e iglesia. Tiene patio central
con galería de arcos de medio punto.
Está ubicado en la loma del Huanacauri.*

*Santa Bárbara (on the left), erected
in 1535 over the ruins of an indigenous
religious temple.
San Juan Evangelista (on the right),
a monastery and church. It has a central
courtyard and gallery with rounded arches.
It is located on the slopes of Huanacauri.*

No muy alejada se localiza la colorista iglesia de Santa Catalina de Siena y teatros como el Art-Deco **Teatro Bolívar** o el **Teatro Sucre,** excelente edificio construido en 1828; su clásica fachada decora esta animada plaza, punto de inicio y contacto de la ciudad vieja con la moderna. En el lado norte de la Plaza Grande se encuentra otra joya del arte colonial: el **Convento de la Merced,** al que precede su portada principal, con una bella y simple cruz; su esbelta torre es la más elevada del casco colonial. Su interior barroco es de una elegancia abrumadora, con un retablo principal del Sagrario y la Virgen de la Merced. Destacable también es su claustro principal, con una fuente dedicada a Neptuno y desde donde se pueden observar sus cúpulas, revestidas de verde vitrificado. La Merced tiene una importante biblioteca, así como curiosas pinturas que nos recuerdan por ejemplo la presencia de un volcán amenazador. Ascendiendo las bellas calles hacia la Basílica encontramos otros templos destacados, tales como el Carmen Bajo, Santa Bárbara y San Juan.

• • • • • • • • • • • • • • • • • •

*theaters such as the art-deco **Teatro Bolívar** or the **Teatro Sucre,** a marvelous edifice built in 1828; its classical facade decorates this animated plaza, the first point of contact with the old city with the modern one. On the northern side of the Plaza Grande is the other jewel of colonial art: the **Convent of Merced,** whose beauty starts with its main facade, with a simple and beautiful cross; its slender tower is the highest in the colonial quarter. Its Baroque interior has a sweeping elegance with the main altarpiece of the tabernacle and the Virgin of Mercy. Also worth noting is its main cloister, with a fountain dedicated to Neptune from where one can observe its cupola, covered in green glasswork. The Merced has a significant library, as well as curious paintings which, for example, remind us of the ever-threatening presence of volcanoes. Walking up the lovely streets towards the Basilica we find other interesting temples, such as Carmen Bajo, Santa Bárbara and San Juan.*

Diferentes aspectos de la Basílica del Voto Nacional. Fue concebida por el padre Julio Matovelle. Fue bendecida por el papa Juan Pablo II el 30 de enero de 1985.

Various views of the Basílica del Voto Nacional. It was conceived by Father Julio Matovelle. It was blessed by Pope John Paul II on 30 January 1985.

La basílica del Voto Nacional, mirador hacia el Quito moderno y antiguo

La inconclusa y majestuosa construcción de la **Basílica,** comenzada en 1892, domina el casco antiguo y es antesala de la ciudad moderna, donde las casas bajas con teja devienen en altos edificios. Construida en ladrillo y hormigón, su estilo neogótico nos recuerda a las grandes catedrales francesas. Se puede acceder a las torres y chapitel a más de 100 m de altura, desde donde se contempla una vertiginosa panorámica de la ciudad. En el subsuelo está el Panteón Nacional de los Jefes de Estado de Ecuador.

• • • • • • • • • • • • • • • • • •

The National vow Basilica, a view point for the old and new Quito

*The incomplete and majestic construction of the **Basilica,** begun in 1892, dominates the old quarter and is the prelude to the modern city, where the low clay-roofed houses make way for high-rises. Built in brick and concrete, its Neo-Gothic style reminds us of the grand French cathedrals. One can access the towers and spire reaching up more than 100 m high, offering a dramatic panorama of the city. In its basement lies the National Pantheon for the heads of state of Ecuador.*

*Estatua de la Virgen de Quito en el Panecillo (arriba)
y funicular (derecha).*

*The statue of the Virgin of Quito
on the Panecillo (top) and the funicular (right).*

Frente a ella se divisa otro de los mejores
miradores de Quito y los volcanes nevados
circundantes: el **Panecillo,** cerro-mirador coronado
por la singular y enorme estatua de la **Virgen de
Quito,** alada como un águila sobre el mundo y el
dragón encadenado. Bajo ella se puede adquirir
artesanía en los diversos puestos allí instalados.
Otro lugar para divisar Quito es la **Cima de la
Libertad,** donde se halla el Museo de Historia
Militar, en el lugar donde se libró la batalla
decisiva de la Independencia en 1822. Sobre todo
en las primeras horas del día se observan las
cumbres de volcanes como el mítico Cotopaxi. Y si
se prefiere una vista de Quito más aérea existe un
moderno funicular que nos sube desde el nuevo
multicentro de atracciones a los lomos de volcán
dormido y amenazador de Quito: el **Pichincha.**
Ascendiendo desde el casco viejo a la Basílica se
puede visitar en una de las casas antiguas de la
calle Venezuela el **Museo Camilo Egas,** artista
ecuatoriano de arte contemporáneo.

Opposite the Basilica, one can make out another of the best viewpoints of Quito and the surrounding snow-capped volcanoes: the **Panecillo,** *the summit-viewpoint crowned by the singular enormous statue of the* **Virgin of Quito,** *winged like an eagle over the world and an enchained dragon. Below her one can acquire crafts from the various stands set up there. Another place to view Quito is the* **Cima de la Libertad,** *or Liberty Peak, where the Military History Museum is located. It is also the site where the decisive battle of the Independence of 1822 was fought. The peaks of the mythical Cotopaxi volcano can be seen from here, particularly in the first hours of the morning. If one prefers a more aerial view of Quito, there is a modern funicular which takes us from the new multi-attraction amusement park up the side of the ever-threatening dormant volcano of Quito:* **El Pichincha.** *Walking up from the old quarter to the Basilica, one can visit one of the oldest houses on the* **Calle Venezuela,** *the* **Museum of Camilo Egas,** *a contemporary Ecuadorian artist.*

En estas páginas, diferentes aspectos de la calle Venezuela y Museo Camilo Egas (arriba derecha).

On these pages, several views of the Calle Venezuela and the Camilo Egas Museum (top right).

*Doble página anterior y arriba, vistas
de la ciudad moderna de Quito.
A la derecha, estatua a Bolívar en La Alameda.*

*Previous double page and at the top,
views of the modern city of Quito. On the right,
a statue of Bolívar in La Alameda.*

La ciudad nueva: amplios parques y diversión en La Mariscal

Quito se abre al norte con amplias y transitadas avenidas concurridas y bulliciosas, parapetadas por altos e impersonales edificios de servicios. La ciudad se desintoxica de la contaminación en amplios parques como el de la Alameda, El Ejido o La Carolina. El **Parque de la Alameda** está presidido por la estatua a Bolívar y un mapa en relieve de Ecuador.

Cercano, el viejo **Observatorio,** con sus cúpulas, nos puede sugerir un templo bizantino, todavía en funcionamiento desde que se inaugurara en 1864. Detrás se localiza una zona ajardinada con pequeños lagos artificiales al pie de la iglesia del Belén ideal para el esparcimiento. Siguiendo hacia el norte se abre **El Ejido,** donde los quiteños juegan, pasean entre sus arboledas y compran pinturas y otras artesanías los domingos cerca del arco triunfal dedicado al Amazonas, frente a la importante avenida homónima.

Observatorio astronómico (arriba) y Parque de la Alameda (a la derecha).

The astronomy observatory (top) and La Alameda Park (on the right).

The ciudad nueva: broad parks and fun in La Mariscal

Quito opens up to the north with broad, well-traveled avenues which are busy and bustling, lined by tall, impersonal office buildings. The city breathes fresh air in large parks like La Alameda, El Ejido or La Carolina. The **Alameda Park** *is presided over by the statue of Bolivar and a relief map of Ecuador. Nearby, the old* **Observatory** *with its cupola may appear to be a Byzantine temple, but it has been in operation since it was inaugurated in 1864. Behind it, at the foot of the Belén Church, is a landscaped area with small artificial lakes ideal for relaxation. Continuing northward is* **El Ejido,** *where the Quiteños play, stroll among its groves, and buy paintings and other crafts on Sundays near the triumphal arch dedicated to the Amazon, facing the major avenue of the same name. Located nearby is the Ecuadorian Cultural Center, an enormous building which houses two interesting museums: the* **Banco Central Archaeological Museum** *and the Ecuadorian Art Museum.*

Parque El Ejido. Arriba, una vista del mismo; a la derecha, «La Circaciana», escultura de Mideros.

The El Ejido Park. Above, a view of the park; to the right, «La Circaciana», a sculpture by Mideros.

Próxima se encuentra la Casa de la Cultura Ecuatoriana, enorme edificio que alberga dos interesantes museos: el **Museo Arqueológico del Banco Central** y el Museo de Arte Ecuatoriano. En sus instalaciones se celebran acontecimientos folklóricos y culturales. El primer museo es una densa recopilación de cerámicas, máscaras de oro, obras litúrgicas de la colonia, etc., que sintetizan la historia de Quito. El segundo muestra obras pictóricas de autores contemporános como Oswaldo Guayasimín (que también dispone de un museo), Eduardo Kingman o Camilo Egas.

La Avenida Amazonas, antes de llegar al **Parque La Carolina,** atraviesa el área conocida como **la Mariscal,** un lugar idóneo para alojarse, encontrar variados y modernos restaurantes y vivir la alocada noche de Quito visitando alguna salsoteca donde poder bailar. En la Mariscal también existe un importante centro donde adquirir artesanías.

Otro de los museos a visitar en la Ciudad Nueva es la **Capilla del Hombre,** curioso espacio escultórico al aire libre donde se hace homenaje justamente al hombre precolombino, al mestizo, etc.

Los alrededores de Quito presentan numerosas posibilidades. Entre otras excursiones o visitas se recomienda el monasterio de **Guápulo** por su colección de arte, la **Mitad del Mundo** por ser una curiosidad geográfica, los diversos **lagos de Imbabura** por ser excelentes parajes naturales (combinación de agua y fuego de los vecinos volcanes), el **Parque Nacional Cotopaxi,** que es el volcán activo más elevado del planeta, o el mercado de **Otavalo,** un baño de artesanía y color en lo que constituye uno de los mercados más espectaculares de Iberoamérica.

*Diferentes piezas expuesta
en el Museo del Banco Centra.*

*Different works on display
at the Museum
of the Banco Central.*

*Arriba, Capilla del Hombre. En la página de la derecha, Santuario de Guápulo (arriba)
y laguna de San Pablo-Imbabura (abajo). En la página 64, dos aspectos del mercado de Otavalo.*

*Top, the Chapel of Man. On the right-hand page, the Guápulo Sanctuary (top)
and the San Pablo-Imbabura Lake (bottom). On page 64, two views of the Otavalo Market.*

Its facilities are used to hold folk and cultural events. The first museum is a dense collection of ceramics, gold masks, liturgical works of the colony, etc., which synthesize the history of Quito. The second museum displays pictorial works of contemporary artists such as Oswaldo Guayasimín (who also has a museum), Eduardo Kingman or Camilo Egas.

The Avenida Amazonas, before arriving to the **La Carolina Park,** traverses the area known as **the Mariscal,** the perfect area to find accommodation, varied and modern restaurants, and enjoy the crazy nightlife of Quito by visiting one of the salsotecas to dance the night away. In the Mariscal, there is also a major center to shop for crafts.

Another of the museums to visit in the Ciudad Nueva is the **Chapel of Man,** an intriguing open-air sculptural space which justly pays homage the Pre-Colombian man, the mestizo, etc.

The outskirts of Quito present us with numerous possibilities. Recommended among the many tours and excursions are the **Guápulo** monastery for its art collection, the **Mitad del Mundo** for its geographic curiosity, the various **lakes of Imbabura** for being exquisite natural sites (with the combination of water and fire from the neighboring volcanoes), the **Cotopaxi National Park,** which is the highest active volcano in the world, or the **Otavalo** Market, a sea of crafts and color which happens to be one of the most spectacular markets in Latin America.